마법의 시간여행 ③

여왕 미라의 비밀을 풀어라

고대 이집트를 정말 좋아하는 패트릭 로빈스에게

MAGIC TREE HOUSE # 3
MUMMIES IN THE MORNING
by Mary Pope Osborne and illustrated by Sal Murdocca

Text Copyright © 1993 by Mary Pope Osborne
Illustrations Copyright © 1993 by Sal Murdocca

마법의 시간여행 ③

여왕 미라의 비밀을 풀어라

메리 폽 어즈번 지음

살 머도카 그림/ 노은정 옮김

 비룡소

차례

1
야옹!

"아직 그대로다!" 잭이 소리쳤어요.

"아무도 없나 봐." 애니가 말했어요.

잭은 일곱 살인 동생 애니와 함께 높다란 나무를 올려다보았습니다. 나무 꼭대기에 오두막집이 있었습니다.

밝은 햇빛이 숲을 비추고 있었습니다. 거의 점심 때가 다 된 시간이었습니다.

"쉬! 이게 무슨 소리지?" 잭이 물었어요.

"무슨 소리?"

"방금 이상한 소리가 들렸어. 꼭 재채기 소리 같았는데⋯⋯."

잭은 주위를 두리번거렸습니다.

"나는 아무 소리도 못 들었는데? 오빠, 어서 올라가자!"

애니는 사다리를 타고 오두막집으로 올라가기 시작했어요.

그 사이 잭은 발뒤꿈치를 들고 살금살금 나무 덤불 쪽으로 다가갔어요. 그러고는 덤불 속을 여기저기 헤집어 보았습니다.

"혹시, 거기 누구 있어요?"

하지만 아무런 대답도 들리지 않았어요.

"오빠, 빨리 와!"

애니가 나무 아래쪽을 보면서 소리쳤습니다.

"오두막집은 어제하고 똑같은 것 같아."

잭은 자꾸만 주위에 누군가 있는 듯한 느낌이 들

었어요. 혹시 오두막집에 있는 그 많은 책의 주인이 아닐까요?

"오빠! 뭐 해!"

잭은 여전히 나무 덤불 쪽을 멍하니 쳐다보고 있었어요.

누군지 모를 그 신비한 사람이 지금 잭을 바라보고 있는 것은 아닐까요? 이름의 첫 글자가 M(엠)으로 시작하는 사람 말이에요.

혹시 황금 메달을 되찾으려고 온 건 아닐까요? 공룡시대로 떠났던 모험에서 잭이 찾아 낸 그 메달 말이에요. 아니면 중세시대 성에 대한 책에서 빠진 가죽 책갈피를 찾으러 왔을지도 모르고요.

메달에도 M자가 있었고, 책갈피에도 M자가 있었어요. 대체 그 M자는 무엇을 뜻할까요?

"내일 올 때는 메달이랑 책갈피 모두 다 가져올게요!" 잭이 큰 소리로 말했습니다.

바람이 살랑살랑 숲을 지나가자, 나뭇잎들이 사각

사각 떨렸습니다.

"오빠 얼른 올라오지 않고 뭐 해?" 애니가 다시 재촉했어요.

잭은 커다란 나무 밑으로 돌아와서 사다리에 올랐습니다.

오두막집 바닥에 난 구멍을 통해 집 안으로 올라간 잭은 가방을 벗은 다음 안경을 고쳐 썼어요.

"음—, 오늘은 어떤 책을 볼까?"

애니는 오두막집 안에 흩어져 있는 책들을 이리저리 뒤적이고 있었어요. 그러다가 성에 대한 책을 집어 들고는 말했습니다.

"오빠! 이 책 벌써 다 말랐어!"

"어디 봐!"

잭은 애니한테서 책을 받아들자마자 깜짝 놀랐어요. 책은 정말 깨끗하게 말라 있었습니다. 어제 성의 해자에 빠졌을 때 분명히 물에 푹 젖었는데 말이죠. 해자는 적들로부터 성을 지키기 위해서 성 둘레

10

를 깊게 파서 물을 가둬 놓은 곳을 말합니다.

그 책 덕분에 애니와 잭은 기사들이 살던 중세시대에 다녀올 수 있었어요.

잭은 동생과 자기를 구해 준 기사에게 마음 속으로 고맙다는 인사를 했습니다.

"무섭지!"

애니는 잭의 코앞에다 공룡 책을 흔들어댔어요.

"저리 치워, 애니."

그저께에는 그 공룡 책이 두 사람을 공룡시대로 데리고 갔습니다. 잭은 또 한 번 마음 속으로 티라노사우루스 렉스로부터 자기를 구해 준 프테라노돈에게 고맙다고 인사했어요.

애니는 공룡 책을 다른 책들이 있는 곳에 도로 갖다 놓았어요. 그런데 갑자기 애니가 화들짝 놀라는 게 아니겠어요!

"와, 이것 좀 봐!"

애니가 나지막이 탄성을 지르며 고대 이집트에 대

한 책을 들어 보였습니다.

잭은 침을 꿀꺽 삼키며 그 책을 동생한테서 건네받았습니다. 초록색 비단 책갈피가 책장 사이로 삐죽 나와 있었어요.

잭은 책갈피가 끼워 진 곳을 펼쳤습니다. 거기에는 피라미드 그림이 있었어요.

그림 속에는 아주 긴 행렬이 피라미드를 향해 가고 있었어요. 뿔이 난 커다란 소 네 마리가 썰매를 끌고 있었고, 썰매 위에는 기다랗게 생긴 황금 상자가 실려 있었습니다. 많은 이집트 사람들이 썰매 뒤를 따라 걷고 있었고, 행렬 끝에는 날렵하게 생긴 검은 고양이가 있었어요.

"오빠, 지금 당장 여기로 가 보자!" 애니가 속삭였습니다.

하지만 잭은 별로 서두르고 싶지 않았어요.

"기다려 봐! 애니. 책을 조금만 더 읽어 보자."

"이건 피라미드야! 오빠가 정말 좋아하는 거잖아."

그건 사실이에요. 피라미드는 잭이 좋아하는 것들 중에서도 다섯 손가락 안에 꼽을 수 있어요. 기사보다는 덜 좋아하지만 그래도 공룡보다는 훨씬 더 좋아해요. 사실 공룡하고는 비교도 안 돼요.

어쨌거나 피라미드는 공룡처럼 잭을 잡아먹으려고 덤비지는 않을 테니까요!

"알았어, 애니. 하지만 펜실베이니아에 대한 책을 손에 꼭 들고 있어야 해. 다시 집으로 돌아오려면 말이야."

애니는 자기가 사는 동네의 그림이 들어 있는 책을 찾아 냈어요. 펜실베이니아의 프로그 마을 그림 말이에요.

그제야 잭은 이집트 책 속에 있는 피라미드 그림을 가리켰어요. 잭은 목을 가다듬은 뒤에 "이 곳에 가고 싶어!" 하고 말했습니다.

"야옹!"

"저게 뭐지?"

잭이 오두막집 창 밖을 내다보며 소리쳤어요.

검은 고양이 한 마리가 나뭇가지에 앉아 있었어요. 바로 창 밖에요. 고양이는 잭과 애니를 똑바로 쳐다보고 있었어요.

그 고양이는 보통 고양이들과는 아주 달라 보였습니다. 고양이는 반들반들 윤이 나는 검은 털에 반짝거리는 노란 눈을 가지고 있었고, 아주 날렵해 보였어요. 또 목에는 제법 굵은 황금 목걸이를 하고 있었습니다.

"이집트 책에 있던 그 고양이야."

애니가 잭에게 귓속말을 했어요.

바로 그 때였어요.

바람이 불기 시작했습니다. 바람에 나뭇잎도 흔들렸어요.

"자, 이제 우리가 간다!" 애니가 외쳤습니다.

바람 소리가 차츰 거세어졌어요.

나뭇잎도 심하게 흔들렸어요.

14

잭은 오두막집이 빙글빙글 돌기 시작하자, 두 눈을 질끈 감았어요.

오두막집은 점점 더 빠르게 돌았어요. 아주 쌩쌩!

그러다 갑자기 주위가 조용해졌습니다.

그야말로 쥐죽은듯 조용했습니다.

아무 소리도 들리지 않았고, 그저 모든 게 잠잠했습니다.

잭이 살며시 눈을 떴습니다.

따가운 햇살 때문에 눈을 제대로 뜰 수가 없을 지경이었어요.

"야옹!"

2
맙소사, 미라다!

잭과 애니는 창 밖을 내다보았습니다.

오두막집은 야자나무 위에 얹혀 있었고, 그 주위
에는 야자나무들이 몇 그루 더 있었습니다. 모래 사
막에 둘러싸인 손바닥만한 숲이었어요.

"야옹!"

잭과 애니는 나무 아래를 내려다보았어요.

아까 그 검은 고양이가 나무 밑동 가까이에 앉아
있었어요. 고양이의 노란 눈이 잭과 애니를 물끄러

미 바라보고 있었어요.

"안녕!" 애니가 큰 소리로 인사했습니다.

"쉬잇! 누가 들으면 어떡하려고." 잭이 애니를 말렸어요.

"오빠도 참! 이런 사막 한가운데서 듣긴 누가 듣는다고 그래?"

검은 고양이는 일어서더니 야자나무 사이로 뛰어갔습니다.

"돌아와!"

애니가 고양이를 큰 소리로 불렀습니다. 애니는 고양이가 어디로 가는지 보려고 창 밖으로 몸을 쑥 내밀었어요.

"와! 저것 좀 봐!" 애니가 감탄하며 말했습니다.

잭도 애니처럼 몸을 내밀어 아래를 내려다보았습니다.

고양이는 야자나무 숲을 벗어나 사막에 있는 거대한 피라미드 쪽으로 달려가고 있었어요.

저 멀리에는 사람들의 행렬이 피라미드 쪽으로 가고 있었어요. 이집트 책에서 본 바로 그 행렬이었습니다.

"책에 있는 그림 그대로야!" 잭이 소리쳤습니다.

"그런데 오빠, 저 사람들 뭐 하는 거야?"

그러자 잭은 얼른 이집트 책을 들여다보았어요.

그림 밑에는 이런 글이 씌어 있었습니다.

왕족이 죽으면 장례식을 성대하게 치렀다.

가족과 노예, 그리고 죽음을 슬퍼하는 사람들이 관을 뒤따랐다. 관은 돌로 만들어진 석관이었는데, 사코파거스라고 불렸다. 황소 네 마리가 석관이 놓여 있는 썰매를 끌었다.

"이집트인의 장례식이야! 돌로 만들어진 관의 이름은 사아—사—코…… 에이, 모르겠다."

잭은 어려운 단어를 읽어 보려고 애쓰다 그만두었어요. 그러고는 창 밖을 다시 내다보았습니다.

황소들, 썰매, 이집트 사람들, 검은 고양이. 이 모든 것들이 꼭 꿈 속에서처럼 천천히 움직이고 있었습니다.

"본 것들을 수첩에다 써 놔야지."

잭은 가방 속에서 수첩을 꺼냈습니다. 잭은 보고 들은 것들을 잊어버리지 않도록 항상 수첩에다 뭐든지 써 놓습니다.

잭은 이렇게 썼습니다.

관은 사코파거스라고 한다.

"오빠, 미라를 보려면 서둘러야 해."

애니는 사다리를 타고 오두막집 아래로 내려가기 시작했습니다.

잭은 수첩을 보다 말고 고개를 들었습니다.

"미라?"

"그래, 미라! 황금 상자 안에 미라가 있을지도 몰라."

애니가 아직 내려오지 않은 잭을 올려다보며 말했습니다.

"오빠! 여기는 지금 고대 이집트야, 잊어버렸어?"

미라를 정말 좋아하는 잭은 쓰다 말고 연필을 내려놓았습니다.

"오빠, 나 먼저 간다!"

"애니, 같이 가!"

"미라다!" 애니가 소리를 질렀습니다.

"어쩌면 좋지?"

잭은 선뜻 동생을 따라 나서지 못하고 조금 망설였습니다.

"진짜 미라다!"

애니가 또 소리를 질렀습니다. 애니는 어떻게 하면 오빠의 마음을 움직일 수 있는지 아주 잘 알고 있었거든요.

잭은 수첩과 이집트 책을 가방에 쑤셔 넣고 사다리를 타고 내려갔습니다.

잭은 금방 땅에 내려섰고, 둘은 모래밭을 가로질러 달리기 시작했습니다.

그런데 잭과 애니가 달리기 시작했을 때 이상한 일이 벌어졌어요.

잭과 애니가 사람들에게 다가가면 다가갈수록 사람들의 모습이 더욱더 희미해지는 거예요.

그러다 갑자기 사람들의 행렬이…… 사라졌어요! 그 신기한 장례 행렬이 없어져 버렸어요. 아주 감쪽같이요.

하지만 돌로 된 거대한 피라미드는 여전히 그 곳에 있었어요. 잭과 애니 머리 위로 우뚝 서 있었어요.

잭은 숨을 헐떡거리며 주위를 둘러보았습니다.

어떻게 된 일일까요? 사람들은 어디로 가 버렸을까요? 황소들은요? 황금 상자는요? 또 고양이는 어떻게 된 걸까요?

"오빠, 다 없어졌어."

"정말 어디로 갔을까?"

참 희한한 일이었습니다.

"유령들일지도 몰라." 애니가 말했습니다.

"말도 안 돼! 유령 같은 게 어디 있니? 아마 신기루였을 거야."

"신기루?"

"그래, 신기루. 사막에서는 항상 있는 일이야. 저

멀리에 뭔가 있는 듯이 보이지. 하지만 실제로는 뜨거운 공기에 굴절된 빛 때문에 엉뚱한 곳에 엉뚱한 모습이 보이는 거야."

"굴절된 빛이 어떻게 사람하고 미라하고 소처럼 보일 수가 있어? 말도 안 돼!"

애니가 오빠를 쏘아붙였어요.

잭은 얼굴을 찌푸렸습니다.

"유령이었을 거야." 애니가 우겼습니다.

"절대로 아니야!" 잭도 맞섰습니다.

"봐!"

애니가 피라미드를 가리켰습니다. 아까 보았던 그 날렵한 검은 고양이가 피라미드 주위에 있었습니다.

고양이는 혼자였어요. 녀석은 잭과 애니를 물끄러미 바라보고 있었습니다.

"봐, 이래도 오빤 고양이가 신기루라고 우길 거야?"

고양이는 미끄러지듯 어디론가 가기 시작했어요.

녀석은 피라미드의 아랫부분을 맴돌다가 모퉁이를 살짝 돌았어요.

"애니, 저 고양이가 어디로 가는 걸까?"

"오빠, 우리 따라가 보자."

잭과 애니는 피라미드 쪽으로 달려가 모퉁이를 재빨리 돌았습니다. 마침 고양이가 피라미드 밑부분에 난 구멍 속으로 막 들어가고 있었습니다.

3
미라가 살아 있어!

"어디로 갔지?"

잭과 애니는 구멍으로 피라미드 안을 들여다보았습니다.

그 안에는 길고 긴 복도가 있었어요. 복도 벽에 걸린 횃불이 안을 밝히고 있었습니다. 시커먼 그림자도 어른거렸습니다.

"오빠, 들어가 보자."

"잠깐만." 잭은 주춤했어요.

잭은 이집트 책을 꺼내서 피라미드 얘기가 나와 있는 곳을 펼쳤어요. 그러고는 거기에 적힌 글을 소리내어 읽어 내려갔습니다.

피라미드는 때로 '죽은 자의 집'이라고 불렸다. 피라미드의 대부분은 단단한 돌로 만들어져 있었지만, 관이 있는 방은 그렇지 않았다. 그 방은 피라미드 안 깊숙한 곳에 있었다.

"와! 우리, 관이 있는 방으로 들어가 보자. 거기 가면 틀림없이 미라가 있을 거야."

애니가 신나서 말했습니다.

잭은 숨을 깊이 들이켰습니다.

색과 애니는 쩽쩽 내리쬐는 뜨거운 햇볕을 벗어나 서늘한 기운이 감도는 피라미드 안으로 발을 내디뎠습니다.

복도는 어둡고 조용했습니다.

바닥도, 천장도, 벽도 모두 돌로 되어 있었습니다.

복도 바닥은 두 사람이 서 있는 곳에서부터 비스 듬하게 경사를 이루며 위쪽으로 이어져 있었습니다.

"오빠, 안으로 한참 들어가야 하나 봐."

"그런가 봐. 내 뒤에 바싹 붙어서 따라와. 입은 꼭 다물고. 알았지?"

잭은 애니한테 다짐을 받으려 했습니다.

그러자 애니가 재촉하며 잭을 살짝 밀었습니다.

"어서 가기나 해!"

잭은 위쪽으로 비스듬히 난 복도를 따라 걸어 올 라가기 시작했습니다.

고양이는 어디 있을까요?

복도는 끝없이 이어져 있었습니다.

"애니, 기다려 봐! 책을 좀 살펴봐야겠어."

잭은 벽에 걸린 횃불 아래 서서 이집트 책을 다시 펼쳤습니다. 거기에는 피라미드 내부를 그려 놓은 그림이 있었습니다.

"관이 있는 방은 피라미드 한가운데 있어. 봐!"

잭이 그림을 가리켰습니다.

"곧장 가면 되겠다."

잭은 이제 확실히 길을 알겠다며 책을 겨드랑이에

끼고서 동생과 함께 피라미드 안쪽으로 깊숙이 들어 갔습니다.

곧 경사진 길이 끝나고 평평한 길이 나왔습니다. 공기가 축축하고 퀴퀴했어요.

잭은 다시 책을 펼쳤습니다.

"거의 다 왔어. 이 그림을 봐. 복도가 위로 비스 듬하게 이어지다가 평평한 길이 나타나잖아. 그 다 음에 방이 있을 거야. 자, 이것 봐!"

"으흐흐흐!"

그 때 갑자기 이상한 소리가 울려 퍼졌습니다.

잭은 깜짝 놀라 이집트 책을 떨어뜨렸습니다.

저쪽 어둠 속에서 희미한 물체가 나타났습니다. 그 물체는 두 사람을 향해서 쉭 소리를 내며 다가왔 어요! 꼭 미라 같았어요!

그 때 애니가 소리쳤습니다.

"살아 있어!"

4
죽음에서 깨어나다

잭은 애니를 끌어당겨 엎드리게 했습니다.

희끄무레한 것이 두 사람 앞을 휙 스쳐 지나가더
니 어둠 속으로 사라져 버렸습니다.

"미라가 살아났어!" 애니가 소리쳤습니다.

"마, 말도 안 되는 소리 그만 해." 잭은 말을 더
듬었습니다.

"미라는 살아 있는 게 아니란 말야."

잭은 이집트 책을 들어올렸습니다.

그 때 애니가 "이게 뭐지?" 하면서 바닥에서 어떤 물건을 집어 들었어요. 그러고는 말했습니다.

"봐, 미라가 떨어뜨리고 간 거야!"

그것은 황금으로 된 막대기였습니다. 길이가 30센티미터쯤 되는 것으로, 한쪽 끝에는 개의 머리 모양이 새겨져 있었어요.

"권장처럼 생겼는데⋯⋯."

"오빠, 권장이 뭐야?"

"왕이나 여왕이 손에 들고 다니는 막대기 같은 거야. 권장을 가진 사람이 백성을 다스릴 만한 힘이 있다는 것을 뜻하지."

"미라야, 돌아와! 네 권장을 찾았어. 돌아와! 우리가 도와 줄게." 애니가 소리쳤어요.

"쉬! 애니 너, 제정신이니?"

"하지만 미라가⋯⋯."

"그건 미라가 아니야. 사람이라고. 진짜 사람."

"피라미드 안에 살아 있는 사람이 돌아다닌단 말

이야?" 애니가 놀라서 물었습니다.

"그야 나도 모르지. 책을 보면 알 수 있을 거야."

잭은 책장을 휙휙 넘겼어요. 마침내 피라미드 안에 사람이 있는 그림을 찾아 냈습니다. 거기에는 이렇게 적혀 있었어요.

도굴꾼들이 미라와 함께 묻힌 보물들을 파내서 가져가곤 했다. 그래서 도굴꾼들을 막기 위해 때로는 가짜 통로를 만들어 놓기도 했다.

잭은 책을 덮었습니다.

"살아 있는 미라에 대한 이야기는 없는걸. 도굴꾼들에 대한 이야기만 있잖아!"

"도굴꾼이라고?"

"그래, 애니. 무덤에 묻혀 있는 값나가는 물건들을 훔쳐 가는 사람들 말이야."

"그럼 그 도굴꾼이 되돌아오면 어쩌지? 오빠, 우

리 여기서 나가는 게 좋겠어.”

“그래. 그 전에 수첩에다 써 놔야지.”

잭은 가방에 이집트 책을 집어넣고 수첩과 연필을 꺼냈습니다.

그리고 수첩에 이렇게 쓰기 시작했습니다.

도굴꾼.

“오빠!”

“잠깐만.”

잭은 계속해서 메모를 했습니다.

도굴꾼이 보물을 훔쳐 가려고 했음.

“오빠! 저것 좀 봐!”

잭은 차가운 기운이 휙 하고 스치는 느낌이 들어 고개를 번쩍 들었습니다.

그러자 잭은 온몸이 쭈뼛해질 정도로 깜짝 놀랐
습니다.

어떤 사람이 두 사람을 향해 천천히 다가오고 있
는 게 아니겠어요?

도굴꾼은 아닌 듯했습니다.

어떤 여자였어요! 아름다운 이집트 귀부인처럼 보
였어요.

귀부인은 검은 머리에는 꽃 장식을 하고 있었고,
자잘한 주름이 잡혀 있는 하얀색 긴 드레스를 입고
있었습니다. 금과 보석으로 만든 귀부인의 장신구도
반짝반짝 빛났습니다.

"오빠, 이거. 이걸 저 분께 드려."

애니가 속삭였어요. 애니는 잭에게 황금 권장을
쥐어 주었습니다.

이집트 귀부인은 두 사람 앞에 멈춰 섰어요.

귀부인에게 권장을 내민 잭의 손이 와들와들 떨렸
습니다.

잭은 마른침을 꿀꺽 삼켰어요. 하지만 권장은 그
귀부인의 손을 그냥 뚫고 지나갔습니다!

그 귀부인은 공기로 만들어졌던 거예요.

5
후테피 여왕의 유령

"유령이야!" 애니가 속삭였습니다.

잭은 겁에 질려서 그저 멍하니 서 있을 수밖에 없었어요.

마침내 유령이 말을 하기 시작했어요. 유령의 목소리는 또렷하지는 않았지만 메아리처럼 윙윙 울려 퍼졌어요.

"나는 후테피란다. 나일 강의 여왕이지. 너희들, 정말 나를 도우러 왔니?"

"네!" 애니가 선뜻 대답했습니다.

하지만 잭은 여전히 아무 말도 할 수 없었어요.

유령은 계속해서 말했습니다.

"나는 천 년 동안이나 여기에서 도움의 손길을 기다렸단다."

잭은 가슴이 너무나도 쿵쾅거려서 금방이라도 기절할 것만 같았어요.

"누군가 내 '사자의 서'를 찾아 주어야 내가 '내세'로 갈 수가 있거든." 유령이 말했습니다.

"내세? 내세가 뭐예요? 그리고 사자의 서는 왜 필요해요?"

애니는 도무지 무서운 게 없는지 여왕의 유령에게 계속해서 물어댔습니다.

"내세는 사람이 죽은 뒤에 다시 태어나 산다는 세상이지. 내세에 가려면 '사자의 서'란 책이 필요해. 그 책에는 저승을 지나가는 데 필요한 마법의 주문이 씌어 있단다."

“저승이요?” 애니가 눈이 동그래져서 물었습니다.

“저승이란 내세로 들어가기 전에 꼭 지나야만 하는 무시무시한 곳이란다.”

“얼마나 끔찍한데요?”

“독사들, 불의 호수, 괴물들, 악마들……”

“으악!” 애니가 잭 쪽으로 바싹 붙었습니다.

“우리 오빠가 도굴꾼들이 훔쳐 가지 못하도록 사자의 서를 숨겨 두었지. 그러고는 피라미드의 벽에

그 책이 있는 곳을 일러 주는 비밀 메시지를 새겨
두었단다."

여왕의 유령은 벽을 가리키며 말했습니다.

잭은 너무 놀란 나머지, 그 자리에 얼어붙었습니
다.

하지만 애니는 씩씩하기만 했어요.

"어디요? 여기요? 이 조그만 그림에 무슨 뜻이 있
어요?"

애니는 벽을 흘끗 쳐다보았어요.

갑자기 여왕의 유령은 서글픈 미소를 지었습니다.

"하지만 슬프게도 오빠는 내게 이상한 병이 있다는 걸 깜빡 잊었던 모양이야. 나는 가까이 있는 것을 똑똑히 볼 수가 없어. 그래서 천 년 동안이나 오빠가 새겨 둔 그림 글자를 읽을 수가 없었단다."

"어? 그건 이상한 병이 아니에요. 잭 오빠도 그런걸요. 그래서 오빠는 안경을 쓰고 다녀요."

여왕의 유령은 무척이나 놀란 얼굴로 잭을 쳐다보았어요.

"오빠, 오빠 안경을 여왕님께 빌려 드려."

그러자 잭은 안경을 벗어서 유령에게 내밀었어요.

하지만 여왕의 유령은 오히려 한 발짝 뒤로 물러섰습니다.

"잭, 난 네 안경을 쓸 수가 없단다. 난 공기로 만들어져 있으니까."

"아참! 맞다!" 애니가 아쉬운 듯 말했습니다.

"하지만 벽에 적힌 상형문자들을 설명해 줄 수는 있을 거야." 여왕의 유령이 말했습니다.

"상형―뭐요?" 애니가 물었어요.

"상형문자!" 잭이 드디어 입을 열었습니다.

"이집트 사람들이 글을 썼던 방법이야. 이집트 사람들은 그림으로 글자를 표시했어."

여왕의 유령이 잭을 보고 미소를 지었습니다.

"고맙구나, 잭."

잭도 여왕을 보고 씨익 웃었습니다. 잭은 안경을 다시 쓰고 벽에 가까이 다가가서, 한참 동안이나 상형문자들을 꼼꼼히 살펴보았습니다.

"와! 세상에!"

잭은 조그마한 목소리로 감탄했어요.

6

벽에 새겨진 그림글자

잭과 애니는 눈을 가늘게 뜬 채 피라미드의 벽을 자세히 살펴보았습니다.

아주 조그마한 그림들이 돌에 새겨져 있었어요.

"여기 그림이 네 개 있어요!"

잭이 흥분해서 유령에게 말했습니다.

"어떻게 생겼는지 말해 주겠니? 한 번에 한 가지씩."

여왕이 조용한 목소리로 부탁했어요.

잭은 첫 번째 그림을 찬찬히 들여다보았습니다.

"아! 이제 알겠어요. 첫 번째 그림은 이렇게 생겼어요."

잭은 공중에다 대고 손가락으로 열심히 모양을 그렸어요.

"계단 같은 모양이니?" 여왕의 유령이 물었어요.

"네, 맞아요! 꼭 계단같이 생겼어요."

여왕은 알겠다는 듯 고개를 끄덕였어요.

그건 알기 쉬운 그림이었어요.

잭은 두 번째 그림을 들여다보았습니다.

"두 번째 그림은 바닥에 네모 모양이 길게 있어요."

잭은 이번에는 공중에 긴 직사각형 모양을 그리며 말했어요. 여왕의 유령은 잘 모르겠다는 듯 고개를 갸우뚱거렸어요.

"그 위에는 이렇게 생긴 것도 붙어 있어요."

애니가 열심히 공중에 대고 구불구불한 모양을 그렸습니다. 하지만 여왕의 유령은 여전히 어리둥절한 표정을 지었습니다.

"모자 같아요." 잭이 덧붙여 말했어요.

"모자?" 여왕의 유령이 되물었습니다.

"아니에요. 배하고 더 비슷해요." 애니가 끼어들

며 말했어요.

"배라고?" 여왕의 유령이 물었습니다. 여왕의 유령은 들뜬 목소리로 다시금 확인했어요.

"배란 말이지?"

잭은 벽을 좀더 자세히 들여다보았습니다.

"맞아요. 배 같기도 해요."

여왕의 유령은 무척이나 흐뭇한 듯 미소를 지으며 말했습니다.

"그래. 그게 맞을 거야."

잭과 애니는 다음 그림을 살폈습니다.

"세 번째 것은 꽃병같이 생겼어요." 이번엔 애니가 먼저 말했어요.

"물병 같기도 해요." 잭도 덧붙여 설명했습니다.

"도자기로 된 물병 말이니?"

"네, 바로 그거예요." 잭이 고개를 끄덕였습니다.

"맞아요, 도자기 물병!" 애니도 잭의 말에 맞장구를 쳤습니다.

잭과 애니는 이제 마지막 그림을 들여다보았어요.

"맨 마지막 그림은 끝이 구부러진 막대기처럼 보이는데요." 애니가 말했습니다.

"구부러진 막대기처럼 생기긴 했는데 한쪽이 조금 짧아요." 잭이 덧붙였습니다.

여왕의 유령은 잘 모르겠다는 얼굴이었어요.

"잠깐만요. 제가 수첩에다 커다랗게 그려 볼게요. 그러면 알아보실 수 있을 거예요."

그러고는 잭은 손에 들고 있던 왕의 권장을 땅에

내려놓고 연필을 꺼내서 막대기처럼 생긴 글자를 그렸습니다.

"천을 접어놓은 것이로구나." 여왕의 유령이 말했습니다.

"천처럼 보이지는 않는데……."

잭은 자기가 그린 그림을 다시 들여다보았습니다.

그러자 여왕의 유령이 말했습니다.

"그 상형문자가 접힌 천을 뜻한다는 말이야."

"네, 알겠어요."

잭은 네 번째 상형문자를 다시 한 번 열심히 들여다보았지만 그래도 여전히 접힌 천 같다는 생각은 들지 않았어요. 차라리 목욕탕에 걸어놓은 수건이랑 비슷해 보였어요.

"이게 전부예요."

애니는 각각의 그림을 손으로 짚어가며 말했어요.

"계단, 배, 물병, 접힌 천."

잭은 수첩에 각 단어와 상형문자를 차근차근 쓰고

그렸습니다.

계단 =   물병 =

배 =   천 =

"그런데 이게 뭘 뜻하는 거예요?" 잭이 여왕의 유
령에게 물었습니다.

"따라오렴. 내 관이 있는 방으로 가자꾸나."

여왕은 잭과 애니에게 따라오라고 손짓하더니 스
르르 움직였습니다.

7
두루마리

잭은 왕의 권장과 수첩, 그리고 연필을 가방에 넣었습니다.

잭과 애니는 여왕을 뒤따라갔습니다. 피라미드 깊숙한 곳으로 한참 들어가니 계단이 나왔어요.

"상형문자에서 나왔던 계단이야!" 잭과 애니가 소리쳤습니다.

여왕의 유령은 스르르 계단을 올라갔습니다.

잭과 애니가 그 뒤를 따랐습니다.

유령은 나무로 된 문을 그대로 뚫고 지나갔습니다.

잭과 애니가 문을 밀자, 문이 천천히 열렸어요.

둘은 서늘하면서도 바람이 잘 통하는 방 안으로 들어섰습니다.

하지만 여왕의 유령은 보이지 않았습니다.

희미한 횃불이 거대한 방을 밝히고 있었습니다. 그 방은 천장이 아주 높았고, 방 한쪽에는 탁자, 의자, 그리고 악기들이 잔뜩 쌓여 있었어요.

그 반대쪽에는 작은 나무 배가 있었습니다.

"애니, 저기 배가 있어!"

"오빠, 후테피 여왕님의 피라미드 안에 배가 왜 있는 거야?"

"여왕님을 내세로 데려갈 배일지도 몰라."

잭과 애니는 배 가까이에 다가가서 안을 들여다보았습니다.

배 안에는 많은 것들이 들어 있었어요. 금으로 된 접시, 색칠된 컵, 보석이 박힌 술잔, 바구니, 파란

돌이 박힌 장신구, 나무로 깎은 작은 조각상들……

"애니, 이것 봐!"

잭은 배 안으로 손을 뻗어서 흙으로 빚어 만든 물병을 꺼냈어요.

"바로 그 물병이네!" 애니가 말했습니다.

잭이 물병 안을 들여다보았습니다.

"여기 뭐가 들어 있어."

"뭔데?" 애니가 물었습니다.

잭은 물병 안을 더듬었습니다.

"커다란 냅킨 같은데." 잭이 말했습니다.

"아하, 이게 '접힌 천'이구나!" 애니가 이제야 알겠다는 듯이 말했습니다.

잭은 입구가 넓은 물병 안에 손을 쑥 넣어서 접힌 천을 꺼냈습니다. 아주 오래 된 듯한 두루마리가 천에 싸여 있었습니다.

잭은 두루마리를 천천히 풀었습니다.

두루마리에는 신기한 상형문자들이 가득 적혀 있

었어요.

"이 두루마리가 바로 사자의 서인가 봐!" 애니가
나직이 속삭였어요.

"오빠! 찾았어! 여왕님의 책을 우리가 찾아 냈어."

"와! 세상에!"

잭은 손가락으로 두루마리를 매만져 보았습니다.
아주 오래 된 종이 같았어요.

"후테피 여왕님! 찾았어요. 여왕님의 책을 찾았어
요." 애니가 여왕의 유령을 불렀어요.

그러나 아무런 대답이 없었습니다.

"후테피 여왕님!"

그러자 다른 방과 연결된 문이 삐걱 소리를 내며
열렸습니다.

"오빠, 여왕님이 저 안에 계신가 봐!"

잭은 가슴이 두근두근댔습니다. 열린 문으로 차가
운 공기가 밀려 들어왔습니다.

"빨리 가 보자!" 애니가 재촉했습니다.

"애니, 기다려 봐!"

"싫어. 여왕님은 천 년 동안이나 이 책을 찾으셨어. 또 기다리시게 하면 안 되잖아."

애니는 고집을 부렸습니다.

잭은 그 오래된 두루마리를 가방에 넣었습니다. 잭과 애니는 천천히 공기가 잘 통하는 그 방을 가로 질러 갔습니다.

열려 있는 문 앞에 이르자, 애니가 먼저 다른 방 으로 들어갔습니다.

"오빠, 빨리!"

잭도 발을 내디뎠습니다.

그 방은 거의 텅 비어 있었어요. 황금으로 된 기 다란 상자만 있을 뿐이었어요. 그 상자는 뚜껑이 열 려 있었고, 뚜껑은 바닥에 놓여 있었습니다.

"후테피 여왕님?" 애니가 여왕님을 불렀습니다.

하지만 아무런 대꾸도 없었습니다.

"찾았어요. 여왕님의 사자의 서를 찾았다고요."

애니가 다시 소리쳤지만 여왕의 유령은 그림자도 보이지 않았습니다.

그런데 갑자기 황금 상자가 빛나기 시작했어요.

잭은 도무지 숨을 쉴 수가 없었어요.

"두루마리 책을 바닥에 내려놓고 여기서 빨리 나가자!"

"안 돼, 사자의 서를 저 안에 넣어야 해."

애니는 황금 상자를 가리키며 말했습니다.

"그만 가자!" 잭이 말렸습니다.

"오빠, 겁내지 마. 어서 넣어!"

애니가 오빠의 팔을 잡아끌었습니다. 두 사람은 함께 신비한 빛을 내는 황금 상자 쪽으로 조금씩 다가갔어요.

상자 앞에 멈춰 선 잭과 애니는 상자 안을 살그머니 들여다보았습니다.

8
피라미드 안에 갇히다

그 안에는 미라가 있었어요!

진짜 미라였어요!

머리카락이 다 빠져 버린 해골에는 여전히 붕대가 감겨 있었습니다. 하지만 얼굴을 감싸고 있던 붕대는 거의 벗겨져 있었습니다.

그 미라는 틀림없는 나일 강의 여왕 후테피였어요.

부러진 이가 보였습니다. 쭈글쭈글한 귀도 보였

고, 문드러진 코도 보였습니다. 말라 비틀어진 살갗과 텅 빈 눈구멍도 보였어요.

게다가 몸을 휘감고 있던 붕대가 거의 다 썩어서 뼈도 앙상하게 드러나 보였습니다.

"윽! 징그러워!" 애니는 뒤로 물러섰습니다.

"아냐, 애니. 아주 신기한걸!"

"어서 가자, 오빠." 애니는 방을 나가려고 했어요.

"잠깐만, 애니." 잭이 애니를 불러 세웠습니다.

"오빠―, 빨리 나가자!"

애니는 금방이라도 울음을 터뜨릴 것만 같은 모습으로 문 바로 옆에 서 있었습니다.

잭은 이집트에 대한 책을 꺼내서 미라의 그림을 찾았습니다. 그리고 큰 소리로 책을 읽었습니다.

고대 이집트 사람들은 죽은 사람의 몸이 영원히 썩지 않도록 보존하려고 했다. 그러기 위해서 우선 시체를 소금에 절였다.

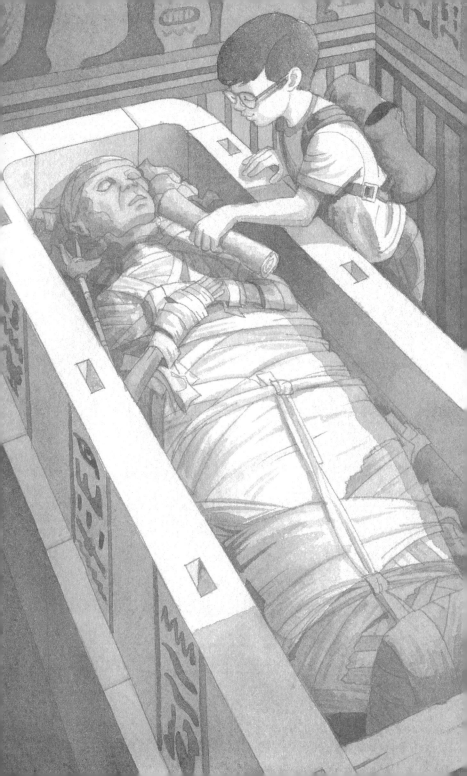

"욱! 그만 해!" 애니가 외쳤습니다.

"좀 들어 봐!" 잭은 계속 책을 읽어 내려갔습니다.

그 다음에는 기름을 바르고 붕대로 꼭꼭 쌌다. 뇌는 들어 냈는데……

"그만 해! 난 갈래!"

애니는 문 밖으로 뛰어나갔습니다.

"애니! 여왕님께 사자의 서를 전해 드려야지."

하지만 애니는 이미 나가 버리고 없었어요.

잭은 가방 속에서 두루마리 책과 왕의 권장을 꺼냈습니다. 그러고는 여왕의 머리 바로 옆에 넣어 주었습니다.

잭이 착각했을까요? 이제야 마음이 놓인다는 듯 깊은 한숨이 방 전체에 울려 퍼지는 것 같았어요. 미라의 얼굴이 한결 편안해 보이기도 했어요.

잭은 흠칫 놀라서 뒤로 한 발 물러섰습니다.

잭은 미라의 방을 나왔어요. 배가 있는 방을 벗어나 계단을 내려갔습니다.

계단 밑에 이르러서야 잭은 '이제 겨우 됐구나.' 하고 안도의 한숨을 쉬었어요.

잭은 복도 쪽을 바라보았습니다. 하지만 아무도 없었습니다.

"애니! 어디 있어?"

잭이 외쳤지만, 아무런 대답이 없었습니다.

도대체 애니는 어디로 간 걸까요?

잭은 복도를 따라 내려갔습니다.

"애니!" 잭이 또 애니를 불렀습니다.

'얘가 벌써 피라미드를 빠져 나갔나? 벌써 밖에 나가 있는 걸까?'

"애니!"

"오빠, 도와 줘!"

아주 멀리서 외치는 소리가 들렸습니다.

애니였습니다. 도대체 애니는 어디 있을까요?

"오빠, 나 좀 살려 줘!"

"애니!"

잭은 어둠침침한 복도를 따라 달렸습니다.

"오빠, 도와 줘!"

애니의 목소리가 점점 희미해지는 듯했어요.

잭은 달리다 말고 멈춰 섰습니다.

애니의 목소리가 자꾸만 멀어지고 있었던 거예요.

"애니!"

잭은 애니를 부르며 관이 있던 방 쪽으로 되돌아서 달려갔습니다.

"오빠!"

맞았어요! 애니의 목소리가 점점 더 크게 들려 왔어요.

"오빠!"

아까보다 더 잘 들렸어요!

잭은 계단을 올라가서 배가 있는 방으로 들어갔습니다.

잭은 방 안을 둘러보았습니다. 가구와 악기, 배가 보였어요.

또 하나의 문이 눈에 들어왔습니다! 잭이 방금 들어온 그 문 바로 옆에 문이 하나 더 있었던 거예요. 문은 열려 있었습니다.

잭이 단숨에 그 문으로 뛰어들어갔습니다. 그 곳은 어느 계단의 꼭대기였어요.

그 계단은 다른 쪽 복도로 이어지고 있었어요.

잭은 복도 쪽으로 내려갔습니다. 벽에 횃불이 밝혀져 있었어요.

다른 복도와 아주 똑같이 생겼습니다.

"애니!"

"오빠!"

"애니!"

"오빠!"

애니가 복도를 달려서 잭한테로 왔습니다.

애니는 오빠에게 와락 안겼어요.

"오빠, 길을 잃었어!"

애니는 울음을 터트렸습니다. 잭은 동생을 위로했어요.

"가짜 통로인가 봐. 도굴꾼들을 속이기 위해서 만들어 놓은 통로 말이야."

"가짜 통로?"

애니가 숨을 몰아쉬며 되물었습니다.

"응. 진짜 통로하고 똑같이 생겼어. 우선 배가 있는 방으로 되돌아가서 바른 문으로 나가야 해."

바로 그 때, 삐걱거리는 소리가 들려 왔습니다.

잭과 애니는 얼른 몸을 돌려서 계단 쪽을 바라보았습니다.

문이 끼익 소리를 내면서 천천히 닫히는 것을 보고 잭과 애니는 덜컥 겁이 났습니다.

멀리서 묵직한 것이 움직이는 듯 땅을 울리는 소리가 들려 왔습니다. 그러더니 횃불이 갑작스레 꺼져 버렸어요.

9
검은 고양이의 울음소리

바로 코앞에 있는 것도 보이지 않을 정도로 주위
는 깜깜했습니다.

"오빠, 어떻게 된 일이지?"

"나도 몰라. 뭔가 이상한데. 어서 여기서 빠져 나
가자. 애니, 문을 힘껏 밀어 봐!"

"좋은 생각이야."

둘은 어둠 속을 더듬어서 계단 꼭대기로 올라갔습
니다.

"걱정하지 마. 다 잘될 거야."

잭은 말은 이렇게 했지만, 실은 겁이 났어요.

"물론이지, 오빠."

두 사람은 나무로 된 문을 두 손으로 힘껏 밀었습니다.

그러나 문은 꿈쩍도 하지 않았어요.

더 세게 밀어 보았어요.

역시 아무 소용이 없었습니다.

잭은 숨을 깊이 들이쉬었어요. 그리고 점점 숨이 가빠졌어요. 게다가 자꾸자꾸 더 겁이 나고 무서웠어요.

"오빠, 어쩌지?"

"그냥, 잠깐만, 잠깐만 쉬자." 숨을 헐떡이며 잭이 말했어요.

잭은 어둠 속을 찬찬히 살피려고 했지만 가슴이 두근두근거려서 정신을 차릴 수가 없었습니다.

"복도를 따라 내려가 보자. 그러면 빠져 나가는

길을 찾을지도 몰라."

잭은 씩씩하게 말했지만, 사실 자신이 없었어요. 그렇지만 달리 방법이 없었어요.

"가자, 애니. 벽을 찾아보자."

잭은 더듬더듬 돌로 된 벽을 찾은 다음 조심조심 계단을 내려갔습니다. 애니도 그 뒤를 따랐습니다.

잭은 어두운 복도를 따라 내려가기 시작했습니다. 아무것도 보이지 않았어요.

잭은 계속해서 걸었어요. 한 번에 한 걸음씩, 손으로는 벽을 짚어가면서요.

잭은 모퉁이를 돌았습니다. 그리고 또 다른 모퉁이를 돌았습니다. 그 다음엔 계단이 나타났습니다.

계단을 올라가자, 문이 하나 나왔어요. 잭과 애니는 함께 문을 밀었어요. 하지만 이 문 역시 꿈쩍도 하지 않았습니다.

조금 전에 잭과 애니가 지나가려고 했던 문과 같은 문일까요?

잭과 애니가 문을 아무리 힘껏 밀어도 아무 소용이 없었습니다. 두 사람은 피라미드 속에 꼼짝없이 갇힌 거예요!

애니는 어둠 속에서 오빠의 손을 꼭 잡았어요.

두 사람은 계단 꼭대기에 멍하니 서 있었어요. 둘레가 쥐죽은듯 조용했습니다.

"야옹—."

"아!" 잭이 들릴 듯 말 듯 탄성을 질렀어요.

"오빠, 고양이가 돌아왔어!"

"야옹—."

"고양이가 어디로 가고 있어. 고양이를 따라가자!"

두 사람은 어두운 복도를 따라 내려갔습니다. 고양이 울음소리를 좇아서요.

손으로는 벽을 더듬으며 잭과 애니는 어둠 속을 나아갔어요.

"야옹—."

71

　두 사람은 고양이 소리를 좇아 빙글빙글 돌고 도
는 복도를 지나서 아래로 아래로 또 아래로 서둘러
걸어갔습니다.

모퉁이를 돌고 또 돌았습니다. 그리고 또…….

마침내 두 사람은 복도의 끝에 다다랐습니다. 밝은 빛이 보였어요. 잭과 애니는 햇살 속으로 뛰쳐나왔습니다.

"야호!" 애니가 소리쳤습니다.

하지만 잭은 생각에 잠겨 있었어요.

"애니, 우리가 어떻게 가짜 통로에서 빠져 나올 수 있었을까?"

"그야 고양이가 길을 안내해 줬으니까 나왔지."

"그런데 그 고양이는 어떻게 나오는 길을 알았지?"

"마법 덕이지!"

애니는 가볍게 대꾸했지만, 잭은 얼굴을 찌푸렸습니다.

"하지만……."

"오빠, 봐!"

조금 전에 길을 안내해 준 검은 고양이가 사뿐사뿐 모래 위를 걸어 멀어져 가고 있었습니다.

"고마워!" 애니가 고양이에게 외쳤습니다.

"나도!" 잭도 고양이에게 소리쳤습니다.

고양이는 검은 꼬리를 살랑살랑 흔들었어요. 그러더니 뜨거운 사막 속으로 사라져 버렸어요.

잭은 야자나무 쪽을 바라보았습니다. 나무 꼭대기

에 오두막집이 그대로 있었습니다. 오두막집은 마치 새 둥지 같았습니다.

"애니, 이제 집에 갈 시간이야."

잭과 애니는 야자나무가 있는 쪽으로 걸음을 옮겼습니다. 뜨거운 사막을 걷는 일은 꽤나 힘들었어요.

애니가 먼저 사다리를 타고 올라갔고, 잭이 애니 뒤를 따라 올라갔어요.

오두막집에 들어가자마자 잭은 펜실베이니아에 대한 책을 찾았습니다.

그런데 바로 그 때, 땅이 쿵쿵 울리는 듯한 이상한 소리가 들려 왔어요. 피라미드 안에서 들었던 것과 똑같은 소리였어요.

"오빠, 저기 좀 봐!" 애니가 창 밖을 가리켰어요.

잭은 밖을 내다보았습니다.

배 한 척이 피라미드 옆에 있는 것이 보였어요. 그 배는 모래 위를 미끄러지듯 움직이고 있었습니다. 마치 바다 위에 떠가는 배처럼요.

그러더니 배는 금세 사라졌어요. 아주 저 멀리로
가 버렸어요.

잭과 애니가 본 배는 신기루였을까요?

아니면 후테피 여왕의 유령이 마침내 배를 타고
내세로 간 것일까요?

"이제 집에 가자, 오빠." 애니가 속삭였어요.

잭은 펜실베이니아에 대한 책을 펴서 프로그 마을
의 그림을 가리켰어요.

"집으로 돌아가고 싶다." 잭이 말했습니다.

그러자 바람이 불기 시작했습니다.

나뭇잎들이 흔들리기 시작했습니다.

바람이 점점 더 거세게 불어댔습니다.

마법의 오두막집이 빙글빙글 돌기 시작했습니다.

더 빨리 더 쌩쌩……

그러다 이내 사방이 잠잠해졌습니다.

아무런 소리도 들리지 않았어요.

10
또 하나의 실마리

늦은 오전의 햇살이 오두막집 창으로 쏟아져 들어왔습니다. 그림자들이 벽과 천장에서 춤을 추듯 어른거렸습니다.

잭은 '이제, 됐다.' 하고 숨을 내쉬었습니다. 잭은 오두막집에 누워 있었어요.

"야, 집에 왔다! 엄마가 점심 때 어떤 맛있는 걸 주실까?" 애니가 창 밖을 보며 물었어요.

잭은 씨익 웃었습니다. 점심, 엄마, 집. 이런 말

을 들으니 왠지 코끝이 찡해졌어요. 생각만 해도 마음이 편안하고 따뜻했어요.

"점심에 땅콩 버터를 바른 샌드위치를 먹었으면 좋겠다. 그치, 애니?"

잭은 눈을 감았습니다. 나무로 된 오두막집 바닥은 서늘한 느낌이 들어서 좋았어요.

"어휴! 여기 엉망진창이야. 좀 치워야겠어. 그 M이란 사람이 올지도 모르잖아." 애니가 말했습니다.

잭은 M에 대해서 깜빡 잊어버리고 있었어요.

비밀에 싸인 M을 만날 수 있을까요? M이 이 오두막집과 여기에 있는 책의 주인일지도 모르잖아요.

"오빠, 이집트에 대한 책은 책더미 맨 밑에 넣자."

"좋은 생각이야."

잭은 한동안은 고대 사람들의 무덤에 들어가고 싶지 않았거든요.

"오빠, 공룡 책은 이집트 책 위에 놓을까?"

"그래, 그게 좋겠다."

잭은 살아 있는 티라노사우루스 렉스를 또 만날 생각은 더욱더 없었어요.

"성에 대한 책은 책더미의 맨 위에 놓아야지." 애니가 말했습니다.

잭은 말없이 고개를 끄덕이며 웃었습니다. 성에 대한 책 표지에 그려져 있는 기사를 잠깐 떠올렸어요. 잭은 이제 그 기사가 친구처럼 여겨졌습니다.

"오빠, 이것 봐!"

애니가 나무로 된 오두막집 바닥을 가리키며 말했어요.

"뭔데?"

"오빠 눈으로 직접 봐봐."

잭은 애니 옆으로 가서 바닥을 들여다보았습니다. 하지만 아무것도 보이지 않았어요.

"머리를 약간 돌려 봐. 빛을 제대로 받아야 보인단 말이야."

애니의 말대로 잭은 머리를 한쪽으로 살짝 기울였

습니다. 무언가가 바닥에서 빛나고 있었어요.

고개를 약간 더 기울여 보았습니다. 그러자 글자가 눈에 들어왔습니다.

M자였어요. 글자가 햇빛을 받아서 환하게 빛나고 있었어요.

이 오두막이 M의 것이라는 증거였어요. 확실해요!

잭은 손가락으로 M자를 짚어 보았어요. 손끝이 찌릿했어요.

바로 그 때 나뭇잎들이 떨리기 시작하더니 바람이 불기 시작했습니다.

"애니, 당장 내려가자."

가방을 움켜쥔 잭과 애니가 사다리를 기어 내려왔습니다.

두 사람이 오두막집 밑에 있는 땅에 다 내려섰을 때, 잭의 귀에 덤불 속에서 무언가가 부스럭거리는 소리가 들렸습니다.

"거기 누구세요?" 잭이 외쳤습니다.

그러나 덤불 속은 이내 잠잠해졌어요.

"곧 메달을 가져올게요. 책갈피도. 내일 다 가지고 올게요!"

잭이 덤불에다 대고 큰 소리로 말했어요.

"오빠, 지금 누구한테 말하는 거야?"

"M이 바로 근처에 있는 것 같아서……."

애니의 눈이 휘둥그레졌습니다.

"그럼 그 사람을 찾아야지!"

하지만 바로 그 때 엄마의 목소리가 멀리서 들려왔습니다.

"잭! 애니!"

잭과 애니는 나무들을 둘러보았습니다.

그리고 서로 마주 보았습니다.

"내일 또 오는 거야!"

둘은 동시에 그렇게 소리쳤습니다.

잭과 애니는 달음질해서 숲을 빠져 나갔습니다.

길을 달려서, 뒤뜰을 지나서, 집의 부엌으로 들어
갔습니다.

그러고는 곧장 엄마에게 달려갔습니다.

엄마는 잭과 애니에게 주려고 땅콩 버터를 바른
샌드위치를 만들고 있었답니다.

지은이 | **메리 폽 어즈번**

메리 폽 어즈번은 미국에서 태어났다. 노스캐롤라이나 대학에서 연극을 공부했고, 그리스 신화와 종교에 매료되어 종교학을 공부하기도 했다. 졸업 후에 그리스의 크레타 섬에 있는 동굴에서 생활하기도 했고, 유럽 친구들과 함께 이라크, 이란, 인도, 네팔 등을 비롯한 아시아 16개국을 자동차로 여행하기도 했다. 여행 중에 아프가니스탄에서 지진을 겪기도 하고, 히말라야에서 독이 몸에 퍼져 목숨을 잃을 뻔하기도 했다. 고향으로 돌아온 뒤에는 윈도 디스플레이어, 병원 조무사, 식당 종업원, 바텐더, 어린이 책 잡지 편집자 등 다양한 직업을 가지며 생활했다. 워싱턴에서 관광 가이드로 지내던 중 연극배우이자 감독, 극작가인 지금의 남편 윌 어즈번을 만나 결혼했다.

청소년을 위한 소설 『최선을 다해 뛰어라』라는 작품을 쓰게 되면서부터 본격적으로 작가 생활을 시작했다. 지금까지 17여 년 동안 50여 권 이상의 어린이 책을 썼다. 대표 작품인 『마법의 시간여행 *Magic Tree House*』 시리즈는 공룡, 중세 기사, 미라, 해적 등 다양하고 폭넓은 주제를 다룬 본격 어린이 교양서로 어린이들로부터 열렬한 사랑을 받고 있다.

옮긴이 | **노은정**

연세대학교 영어영문학과를 졸업하고 현재 어린이 책들을 번역하고 있다. 번역 작품으로는 「마법의 시간여행」 시리즈, 「마음과 생각이 크는 책」 시리즈 등과 『사라진 고양이의 비밀』, 『해리야, 잘 자』, 『칙칙폭폭 꼬마 기차』 등이 있다.

마법의 시간여행 ❸

여왕 미라의 비밀을 풀어라

메리 폽 어즈번 지음 / 살 머도카 그림 / 노은정 옮김

1판 1쇄 펴냄―2002년 6월 17일
1판 15쇄 펴냄―2005년 10월 11일

펴낸이 박상희
펴낸곳 (주)비룡소
출판등록 1994. 3. 17.(제16-849호)
주소 135-887 서울시 강남구 신사동 506 강남출판문화센터 4층
전화 영업(통신판매) 515-2000(내선 1) / 팩스 515-2007 / 편집 3443-4318~9
홈페이지 www.bir.co.kr
값 6,500원

ISBN 89-491-5057-3 73840
ISBN 89-491-5054-9 (세트)